Texte de Pascal Henrard

Illustrations de Fabrice Boulanger

Hurtubise

Catalogage avant publication de Bibliothèque et Archives nationales du Québec et Bibliothèque et Archives Canada

Henrard, Pascal, 1963-

Auguste conduit un camion

(Auguste)
Pour enfants de 4 ans et plus.

ISBN 978-2-89647-530-8

I. Boulanger, Fabrice. II. Titre.

PS8615.E57A93 2011 jC843'.6 C2011-941046-X
PS9615.E57A93 2011

Les Éditions Hurtubise bénéficient du soutien financier des institutions suivantes pour leurs activités d'édition :

- Conseil des Arts du Canada ;
- Gouvernement du Canada par l'entremise du Programme d'aide au développement de l'industrie de l'édition (PADIÉ) ;
- Société de développement des entreprises culturelles du Québec (SODEC) ;
- Gouvernement du Québec par l'entremise du programme de crédit d'impôt pour l'édition de livres.

Textes : Pascal Henrard
Illustrations : Fabrice Boulanger
Édition : Pascale Morin
Graphisme et mise en page : René St-Amand

ISBN 978-2-89647-530-8 (version imprimée)
ISBN 978-2-89647-616-9 (version numérique)

Dépôt légal : 3e trimestre 2011
Bibliothèque et Archives nationales du Québec
Bibliothèque et Archives Canada

Diffusion-distribution au Canada :
Distribution HMH
1815, avenue De Lorimier
Montréal (Québec) H2K 3W6
www.distributionhmh.com

Diffusion-distribution en Europe :
Librairie du Québec/DNM
30, rue Gay-Lussac
75005 Paris France
www.librairieduquebec.fr

Imprimé à Singapour

www.editionshurtubise.com

À Sandra, la camionneuse. *P. H.*

Aujourd'hui, il fait beau et maman a décidé d'emmener Auguste au parc.

Il y a des glissades, des balançoires, des jeux et un bac à sable. Mais ce qu'Auguste aime le plus, c'est conduire son camion jaune autour du petit étang.

— Gus, fais attention aux gens
et aux enfants ! crie maman.

C’est tellement amusant de faire
des zigzags entre les passants.
Auguste est devenu un expert.
Il n’a pas encore eu un seul accident.

— Gus, pas si près de l’étang, tu risques de tomber à l’eau !

Pas de danger, Auguste sait manœuvrer. Il ralentit dans les tournants et accélère dans les lignes droites.

Avec sa pelle, Auguste charge des cailloux ronds comme des ballons dans sa remorque.

Prudemment, il roule en évitant les trous, les gens et les pigeons pour livrer son précieux chargement à maman qui lit au soleil.

Auguste vide le contenu
de la remorque sous le banc
de maman.

– **Bip, bip, bip,**
fait Gus qui recule en regardant
bien s'il n'accroche rien.

Auguste repart aussi vite.

– **Tuuut, tuuut tuuut,** chante le klaxon de son camion.

Tout à coup, il s'arrête net. Sur son chemin, Gus a trouvé des grosses clés. Qui a bien pu les oublier?

— Hé, Gus, crie un camionneur, apporte les clés, on a des choses à livrer !

Gus arrive en courant. Avec sa casquette et sa salopette, il ressemble à un véritable routier.

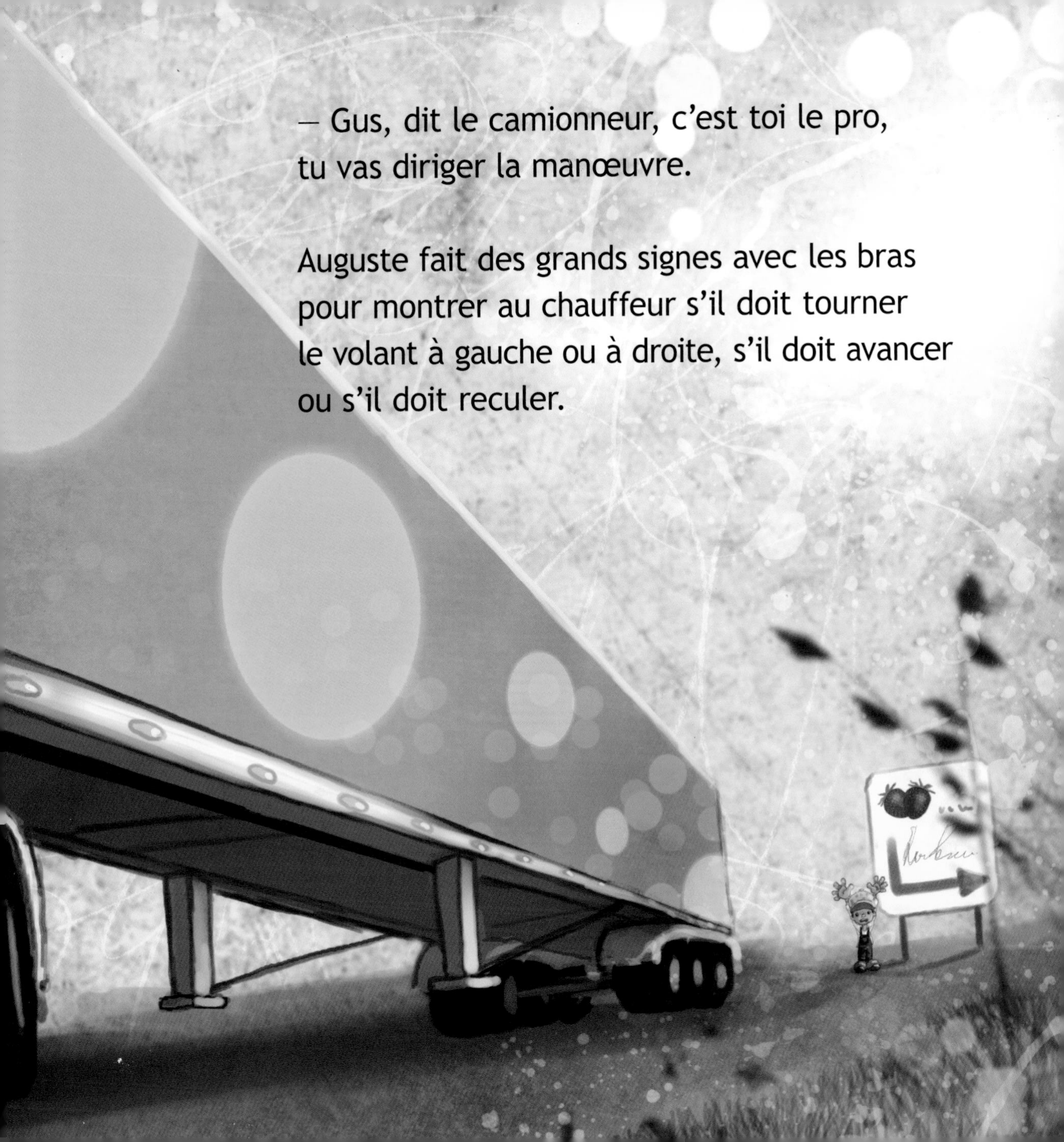

— Gus, dit le camionneur, c'est toi le pro,
tu vas diriger la manœuvre.

Auguste fait des grands signes avec les bras
pour montrer au chauffeur s'il doit tourner
le volant à gauche ou à droite, s'il doit avancer
ou s'il doit reculer.

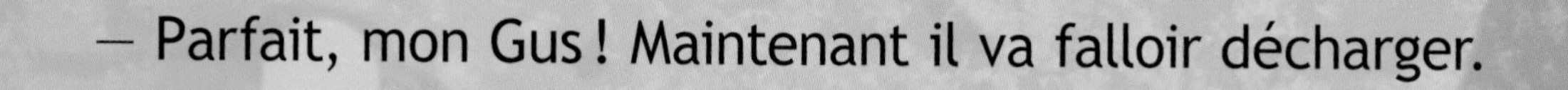

— Parfait, mon Gus ! Maintenant il va falloir décharger.

Auguste doit d'abord grimper pour ouvrir les portes. Le verrou est lourd, il faut le glisser entre les anneaux. Ensuite, il faut tirer les panneaux qui grincent comme des portes de château.

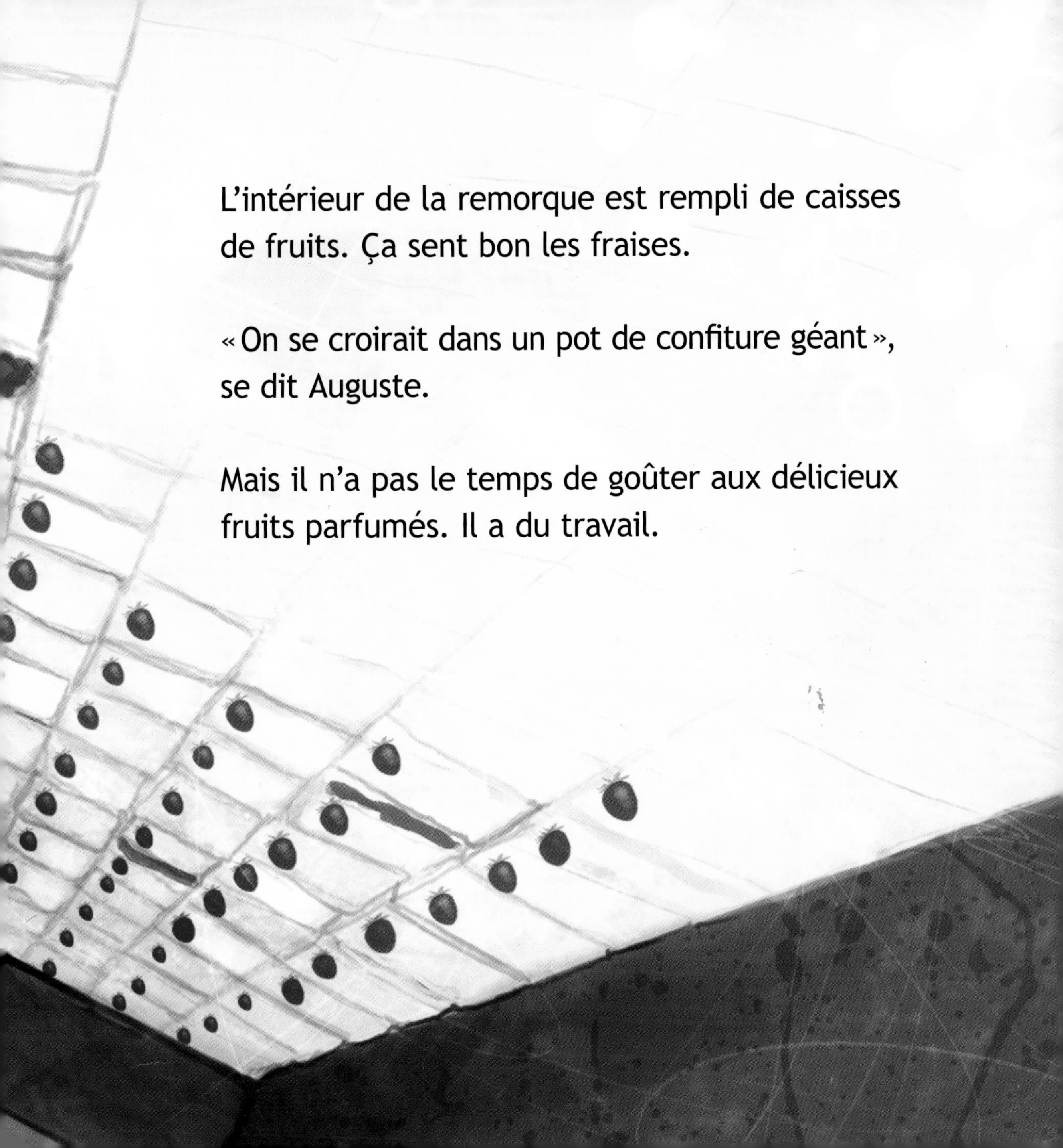

L’intérieur de la remorque est rempli de caisses de fruits. Ça sent bon les fraises.

« On se croirait dans un pot de confiture géant », se dit Auguste.

Mais il n’a pas le temps de goûter aux délicieux fruits parfumés. Il a du travail.

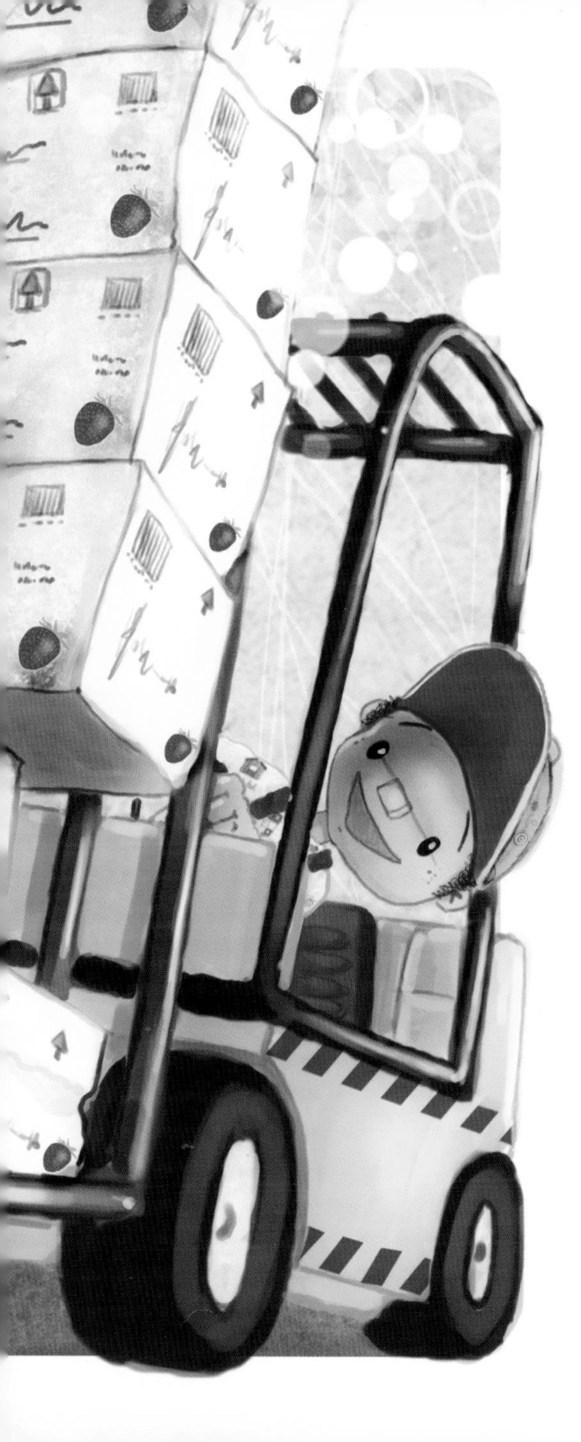

Auguste se met aux commandes du chariot élévateur et empile les boîtes comme des blocs.

Il faut faire attention de ne pas mettre trop de caisses les unes sur les autres, sinon elles peuvent tomber et faire une drôle de marmelade.

La remorque est maintenant vide,
il est temps de repartir. Mais avant,
Gus doit vérifier la pression des pneus.

À l’aide d’un gros marteau, il frappe
sur chaque roue. **Toc, toc, toc.**
Ça fait un drôle de bruit. Les pneus
sont bien gonflés.

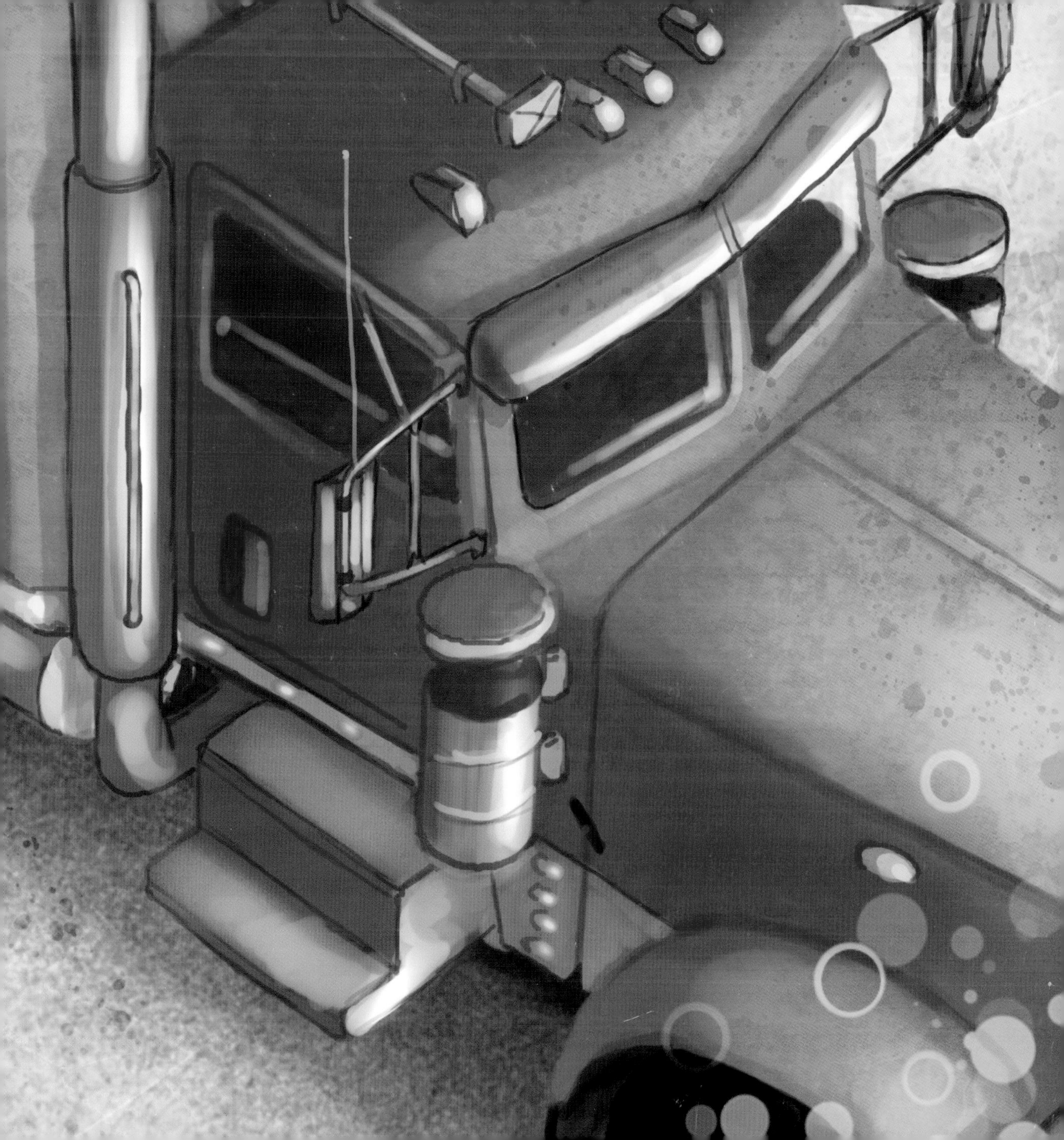

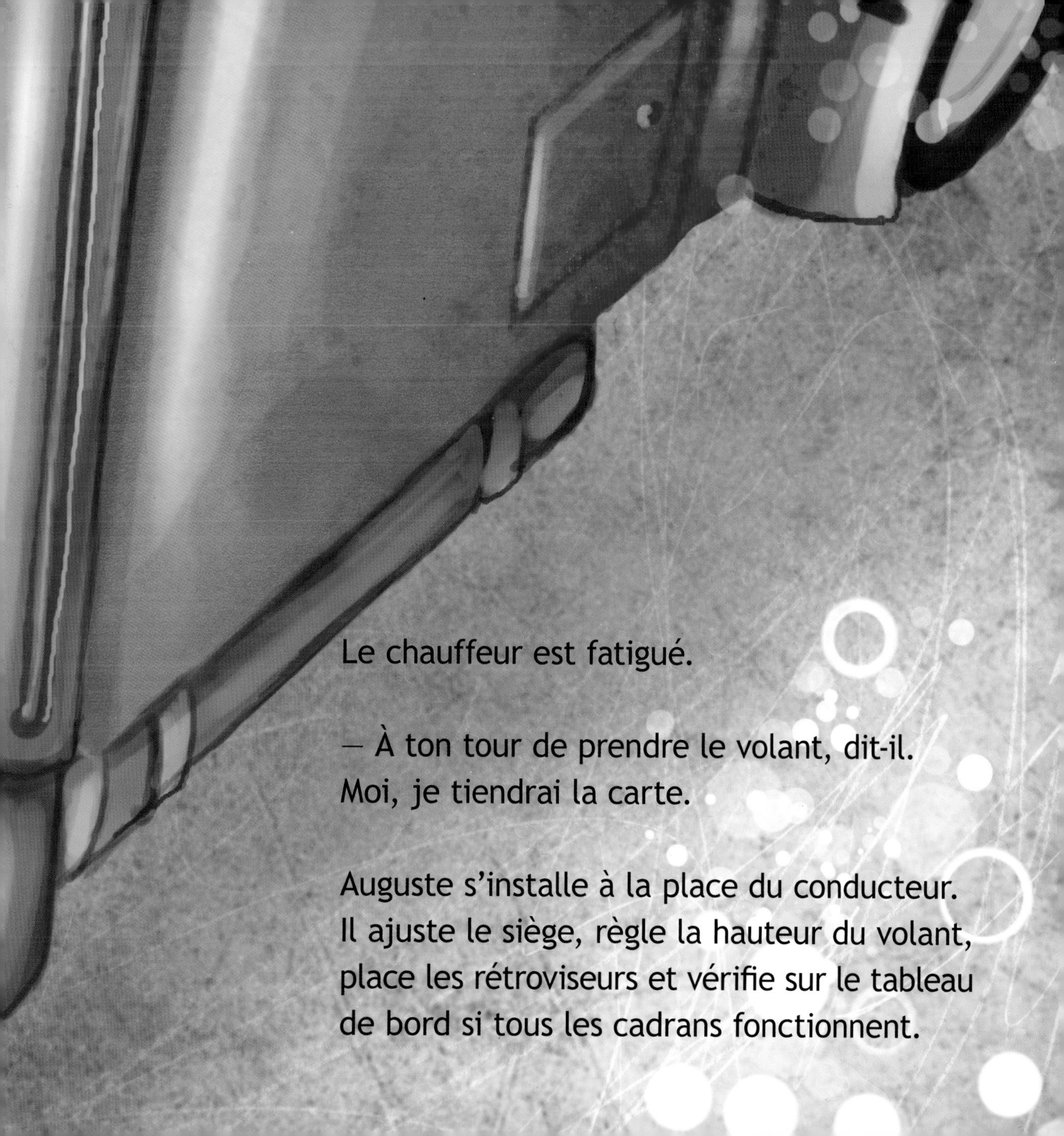

Le chauffeur est fatigué.

— À ton tour de prendre le volant, dit-il. Moi, je tiendrai la carte.

Auguste s'installe à la place du conducteur. Il ajuste le siège, règle la hauteur du volant, place les rétroviseurs et vérifie sur le tableau de bord si tous les cadrans fonctionnent.

Du haut de son camion, Auguste surplombe la circulation.

— Gus, tu vas prendre la prochaine sortie, dit le chauffeur.

Le clignotant fait **tic, tac, tic, tac,** comme la vieille horloge de grand-mamie.

Auguste s’arrête devant une usine de chocolat.
Il a faim et son estomac fait **glouglou !**

— Voilà, dit le camionneur, ta journée est finie.
Tu peux maintenant aller te régaler.

Auguste rend les clés à son nouvel ami.

— Gus, Gus, appelle maman.
Tu veux un morceau de chocolat ?

Auguste arrive en courant. Il salue au loin un camion qui s'en va livrer sa cargaison.

FIN